Born to
pete ta gueule
ZEP
3/94

ZEP

ça épate les filles...

Glénat

Du même auteur :

Les trucs de Titeuf :

- *Le guide du zizi sexuel*
  par Zep et Hélène Bruller

Éditions Glénat

Les filles électriques

L'enfer des concerts

Éditions Dupuis/Humour Libre

Retrouve Tchô! et Titeuf sur Internet
www.glenat.com

Tchô ! La collec...
Collection dirigée par J.C. CAMANO

Dépôt légal : Mai 1994
Imprimé en France par *Partenaires-Livres* ® (JL)
en janvier 2002

CHACUN SON MATÉRIEL

SALE ÉPOQUE

BON... ON JOUE À QUOI ?

JE SAIS ! ON JOUE AUX AMÉRICAINS QUI VONT BOMBARDER DU RIZ SUR LES PETITS SOMALIENS !!
OUAIS.
JE FAIS LE SOMALIEN !

MAIS NAN, HUGO ! TU PEUX PÔ FAIRE LE SOMALIEN ! C'EST PÔ POSSIBLE !
POURQUOI ? C'EST NUL !!

BON... ON N'A QU'À JOUER AUX GENDARMES ET AUX VOLEURS...
D'ACCORD!
AH OUAIS ...

MOI, J'SUIS PAS D'ACCORD... C'EST TOUJOURS MOI LE VOLEUR !!
EXCLU!
SOIS PÔ MAUVAIS JOUEUR, ALI...

CHAIS PÔ, MOI... ON PEUT JOUER À JURASSIC PARK... AVEC LE TYRANNOSAURE À LA MÂCHOIRE D'ACIER ET ON DOIT LE...
PFLUS QUFEFTION!

BON... BEN... HEU... ON N'A QU'À JOUER EUH À.. STARTREK
FAIS GAFFE!
PÔV' TFYPE!

... À SUPERMAN QUI VOLE...
SANS MOI !!
À...

BEN... ON PEUT JOUER ÀÀÀ
À...
À...
PFT

À...
BIP BIP
MUT MUT
game BOY

JE TE L'AI DÉJÀ DIT CENT FOIS : PAS-DE-GAMEBOY !
TU N'AS QU'À UTILISER TON IMAGINATION...
MAIS 'PA
GAMES

LE BAD TRIPE

?
BEN ? QU'EST-CE QUE VOUS FOUTEZ LÀ ?
CHUT.
Vente de Patisserie

C'EST UN PÉTARD ...
JE L'AI PIQUÉ À MON FRÈRE ..

T'ES CON ! C'EST VACHEMENT DANGEREUX ! C'EST DE LA DROGUE !!
MUF
MUF
C'EST PÔ DE LA DROGUE... C'EST DU SCHMIT ...

MON FRÈRE EN FUME DE TEMPS EN TEMPS... IL DIT QUE ÇA LE REND COOL ...
ÇA ... POUR ÊTRE COOL ...
ÇA SENT LES PIEDS !

LÀ, JE SUIS COOOL... JE VOIS DES FEMMES À MOITIÉ À POIL.
J'VEUX ESSAYER !

'FAUT ASPIRER FORT POUR QU'ELLES SOIENT COMPLÈTEMENT À POIL ?
FAIS GAFFE AU BAD TRIPE.
SSSSNIF

KOF
J'VOIS P'US RIEN !
KOF
KOF

AAAH... ÇA APPARAÎT... J'VOIS UN MONSTRE MAIS PÔ DE NANA...
IL EST MOCHE.

HUM.
GLP

ENCORE UNE VICTIME DE LA DROGUE !
J'LUI AVAIS DIT DE FAIRE GAFFE AU BAD TRIPE...

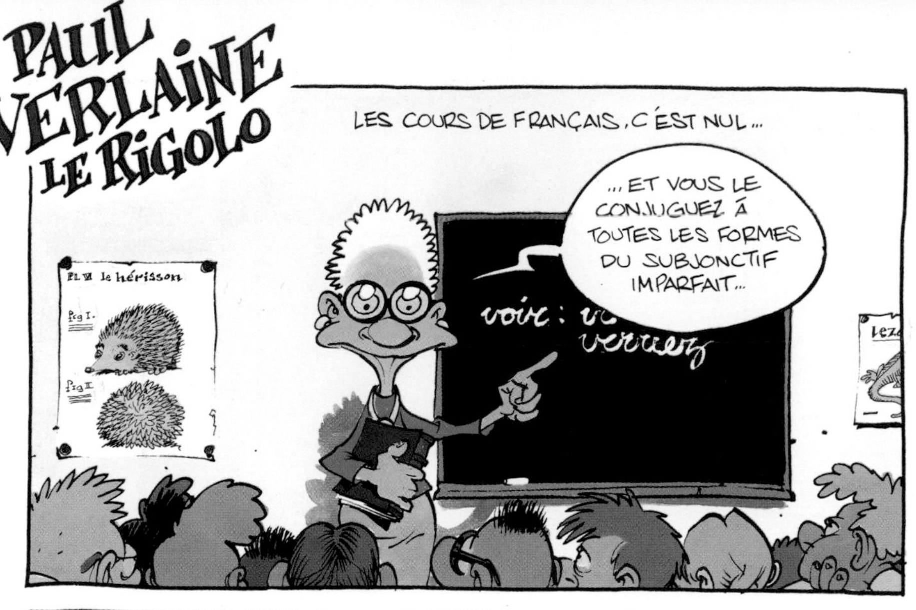
PAUL VERLAINE LE RIGOLO
LES COURS DE FRANÇAIS, C'EST NUL...
...ET VOUS LE CONJUGUEZ À TOUTES LES FORMES DU SUBJONCTIF IMPARFAIT...
Pl. VI le hérisson
Fig I.
Fig II.

...JE ME DEMANDE QUI A PU INVENTER DES BÊTISES PAREILLES...
... QUE JE VOUS VISSE... QUE NOUS VOUS VISSIONS...

HEUREUSEMENT, IL Y A UN MOMENT QUI SAUVE TOUT...
AUJOURD'HUI, C'EST JEAN-CLAUDE ET RAMON QUI VONT NOUS LIRE LEURS POÉSIES ...

JE RESTE ÉVEILLÉ JUSTE POUR ÇA ...
"FEUILLES D'AUTOMNE" DÉ PAUL VERLAINE ...

LA SANGLOT LONG DU LA VIOLONS DÉ L'AUTOMNE BLESSE MA COEUR AVÉ LA LANGUEUR IL EST MONOTONE
HA
WAF
OUAF

TOUT SOUFFOUCANT IL EST BLÊME QUAND SONNE LA HEURE DE LA JOUR IL EST ANCIENS ET JA PLEURE ...
HAHAHAHA
OUAAAF

"NUAVE GRFIS" DE VACQUES PFRÉVFERT.

LE NUAVE GRFIS EST LVOURD DFANS LE FIEL...

LUI, IL M'ACHÈVE...
AU DEFFUS DE NOS TVÊTES INQUFIÈTES...

LES VARBFRES CFOULEUR MVIEL FEMBLENT DE FINI-FTRES ALLUMVETTES.
C'EST TROP !
TITEUF!

QUAND JE SERAI GRAND, JE SERAI UN ÉCRIVAIN COMIQUE COMME MONSIEUR PRÉVERT OU BIEN VERLAINE...
Z.

LES SALOPES

ALORS ?
BÔH.

ÇA A PÔ MARCHÉ...
NON ?
QU'EST-FE QU'IL Y A ?

STÉPH' EST AMOUREUX DE CATHY.
AH ?
SOUPIR

T'AS FAIT COMME ON T'AVAIT DIT ?.. TU T'ES LAVÉ LES DENTS ?
OUAIS, OUAIS, J'AI MÊME MIS MON T-SHIRT NIKE...
C'EST DINGUE !

T'AURAIS DU LUI FAIRE UN CADEAU... ELLES AIMENT LES CADEAUX, LES FILLES...
AH OUAIS.. PÔ CON..
JE L'AI FAIT !

J'LUI AI PROPOSÉ DE PARTAGER MA COLLEC' DE GAMEBOYS ....
ELLE A DIT QUE ÇA L'INTERESSAIT PÔ !
QUOI !
QUELLE FALOPE !

DOMMAGE..
J'AI P'US QU'À MOURIR TOUT SEUL AVEC MES GAMEBOYS ...
EH OUI DOMMAGE ...
BOOH
SNUF

TITEUF !!
QU'EST-CE QUE TU FAIS !???

LE CINÉ

ROYAL
Soprano
la force d'aimer
JULIA ROBERTS
ÇA T'A PLU, TITEUF ?
PÔ MAL...

LA SCÈNE OÙ ILS SAUTENT DU PONT ! EXCELLENT !
WAAH
BUS
OUAIS.

TOI AUSSI, TU LUI FAIS DES TRUCS COMME ÇA, À MAMAN ?
HEIN ?

BEN OUAIS... COMME LUI SAUTER DESSUS POUR L'EMBRASSER...
AH ! HEM ! TU SAIS, ON EST MARIÉS DEPUIS DES ANNÉES ET...

TU L'AIMES P'US ?
SI ! CE N'EST PAS LA QUESTION... HEU...

ET TOI AUSSI, TU LA "DÉSIRES COMME UN FOU" ?
JE... HEU... NON... ENFIN...

TU LUI COURS APRÈS POUR LUI ARRACHER SES VÊTEMENTS "COMME LES PÉTALES D'UNE FLEUR" ?
ARRÊTE TITEUF !! J'EN AI MARRE !

ALORS TITEUF... C'ÉTAIT UN BEAU FILM ?
ÇA T'AURAIT PLU, M'MAN !

ILS S'AIMAIENT COMME VOUS, QUAND PAPA EN AVAIT PAS ENCORE MARRE.
QUOI ?

BEN... ? ON VA PÔ MANGER À LA MAISON ?
NON !

LES MICROBES
C'EST MON COUSIN PIERROT, IL AIMERAIT JOUER AVEC NOUS ...
SALUT.
'LUT.

QU'EST-CE QU'IL A ?
IL EST MYOPATHE.
AAAAH BOON ...
J'AI CRU QU'IL ÉTAIT HANDICAPÉ.

WAAAH ! T'ES NUL ! "MYOPATHE" C'EST HANDICAPÉ ! D'ABORD, T'ES EN CHAISE ROULANTE PIS APRÈS TU VAS À LA TÉLÉ !
AH OUAIS ? BEN TOI AUSSI T'ES MYOPE.. ALORS VAS-Y À LA TÉLÉ !

ET HEUU... C'EST PÔ CONTAGIEUX ?
AUCUN RISQUE.. C'EST CONGÉNITAL !
OUAIS BEN RESTE POLI

ON N'A QU'À JOUER AUX "DALTON" ! COMME ÇA, PIERROT FAIT LA DILIGENCE !
OUAIS !
GÉNIAL !

HAUT LES MAINS ! ... OU ON VOUS PLOMBE !
VOUS NOUS AUREZ PÔ !
ON VEND CHÈREMENT NOT' PEAU !
PANG
PFIUUW
PFIUWW
PFIUW

MONTE ! ON LES SÈME !
HA!HA
HÉ ! ATTENDEZ !
PFF

HA! HA! ON LES A EUS !
AAAA

BEN.. ? QU'EST-CE QU'ILS FOUTENT ?!
BUNK
CRASH

J'L'AVAIS DIT QUE C'ÉTAIT CONTAGIEUX.

SUR LA ROUTE

P'PA... J'AI BESOIN ...
MH.

PENSE À AUTRE CHOSE, ON EST BIENTÔT ARRIVÉS.

IL PARAIT QUE, SI ON SE RETIENT TROP LONGTEMPS, LE NIVEAU MONTE ET ON A LE CERVEAU NOYÉ DANS LE ...

C'EST BON ! ON S'ARRÊTE ... ALLEZ HOP !

EH BIEN VAS-Y MAINTENANT ! QU'EST-CE QUE TU ATTENDS ?

AVEC TOUTES CES VOITURES QUI PEUVENT ME VOIR ....
... J' PEUX PÔ

ALORS VA DANS LES BUISSONS... DÉPÊCHE-TOI !!
MAIS..., SI Y'A UN LOUP.... J'OSE PÔ ...

BON ! JE T'ACCOMPAGNE .... ASSEZ PERDU DE TEMPS !!

CLAC
LA VOITURE !
VROOOOOO

HEU.... ON SE SENT PLUS LÉGER APRÈS...

BEN... Y NOUS RAMENENT PÔ ?

Z.

MANOLO

BOÑOUR LA Z'ENFANTS.
B'JOUR.

IL EST SYMPA, MANOLO.. MAIS .. T'AS VU COMME IL EST POILU ?
C'EST PARCE QU'IL A LES HORMONES

LES ZORMONES ?! ... C'EST QUOI ?
UNE MALADIE ? SI TU L'AS, T'AS DES POILS PARTOUT !

T'EN AS DANS LES OREILLES ...
COMME TA GRAND'MÈRE ?
OUAIS, MAIS AUSSI DANS LE NEZ, DANS LE DOS, DANS ...

C'EST DES CONNERIES !
C'EST PÔ DES CONNERIES !! MÊME QU'A LA FIN TU DEVIENS UN SINGE !

TOUT LE MONDE SAIT ÇA !! LES HORMONES, ÇA PARDONNE PÔ !

GLP.

BOÑOUR LA Z'ENFANTS !

CO.. COMMENT IL VA AUJOURD'HUI, M'SIEUR MANOLO ?
MANOLO ? AH ! IL EST PAS LÀ ... IL EST MALADE ...

?

Z'AVEZ PÔ L'DROIT DE FAIRE ÇA À MANOLOOO
?

PAPA EST UN BLAIREAU

LA VOIE LACTÉE
ÇA Y'EST ! IL EST LIBRE !

HÉ ! C'EST À NOUS.. ON S'ÉTAIT INSCRITS POUR LE CARROUSEL !
ON ÉTAIT LÀ AVANT !

DESCENDEZ TOUT' SUITE !
PIS D'ABORD, C'EST PÔ UN CARROUSEL, C'EST UNE MACHINE À VOYAGER DANS LE TEMPS !
ET TOC.

ON DESCENDRA DANS LE FUTUR, BANDE DE NAZES !
ALLEZ CIAOOOOO

OUAAAAA
DE PLUS EN PLUS VITE ! ON VA ENTRER DANS L'HYPERESPACE !

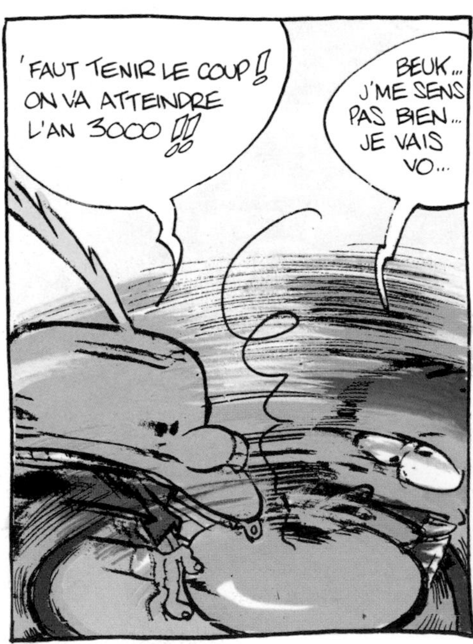
'FAUT TENIR LE COUP ! ON VA ATTEINDRE L'AN 3000 !!
BEUK... J'ME SENS PAS BIEN... JE VAIS VO...

MMLLEURGH

HORREUR ! EN L'AN 3000 LES HOMMES VERTS ONT ENVAHI LA PLANÈTE !!

LE CALCUL

WAAAAH
?

C'EST CLAUDIA SCHIFFER... ELLE EST SUPER BIEN !
QUAND J'SERAI GRAND, JE ME MARIERAI AVEC.

T'ES NUL.. C'EST PÔ POSSIB' ...
POURQUOI ?

BEN... QUAND T'AURAS L'ÂGE, ELLE SERA DÉJÀ GRAND'MÈRE ...
C'EST PÔ VRAI !!

T'AS QU'À COMPTER... ELLE A QUEL ÂGE ?
HEU... 25 ! MAIS C'EST TOUT DES CONNERIES !

25 ANS... HEU QUAND T'AURAS VINGT.. ÇA FAIT DANS... HEU.. BEN ELLE AURA PAS LOIN DE 40 ANS...
C'EST DES CONNERIES !

C'EST PÔ POSSIB'
J'AI COMPTÉ, MOI... ELLE AURA À PEINE 30 ANS...

C'EST TOUT FAUX.
DANS ONZE ANS, J'AURAI L'ÂGE... ÇA FAIT EN 2005... DONC 25 MOINS 2005 PLUS 8 ANS MULTIPLIÉS PAR LES ONZE ANS QUI MANQUENT, ÇA FAIT 29,91 ... J'AI ESSAYÉ !

T'ES QU'UN JALOUX ! JE ME MARIERAI AVEC !!
TOC !
HA HA
PFFT

'TOUTES FAÇONS ELLE VOUDRA JAMAIS T'ÉPOUSER...

T'ES TROP NUL EN MATHS !!

LE RENDEZ VOUS

LA CRISE

ÇA VA PAS FORT... LE PATRON A LAISSÉ ENTENDRE QU'IL ALLAIT SUPPRIMER DES POSTES...

ANNULE NOTRE SOIRÉE... IL FAUT QUE J'AILLE ME COUCHER TÔT... C'EST PAS LE MOMENT DE RATER LE RÉVEIL !
SINON... CHÔMAGE !

BUNT

HÉ ! MON PAPA IL EST BIENTOT AU CHÔMAGE COMME LE TIEN ! IL SERA TOUS LES JOURS À LA MAISON... ÇA VA ÊTRE COOL !
BÔF.

QUOI "BÔF" ?
RÉJOUIS-TOI PÔ TROP ...

DEPUIS QUE LE MIEN EST AU CHÔMAGE, IL M'ACHÈTE PLUS DE JOUETS... ET ON VA PLUS AU CINÉ ...

... IL A MÊME ANNULÉ NOS VACANCES À EURODISNEY !
POC

POUR SEPT FRANCS ET UN MALABAR QU'EST-CE QUE JE PEUX AVOIR COMME RÉVEIL ULTRA-PERFORMANT ?

Z.

LES COWBOYS
BON... ON VA ATTAQUER LES INDIENS...? ... OU QUOI ?
ATTENDS... UN COWBOY A BESOIN DE SE DONNER DU COURAGE ...

BWAK ! UNE CIGARETTE !
OUAIP ! POUR LES VRAIS MECS DU FAR OUAISTE !

C'EST DÉGUEU-LASSE ! T'AURAS LE CANCER DU SIDA PIS LES DENTS JAUNES !
WAF WAF !

C'EST DES CONNE-RIES POUR LES FILLES ... ALLEZ ! À L'ATTAQUE !

BUÊÊÊÊ

LES VRAIS MECS DU FAR OUAISTE GOU-DRONNÉ, OUAIS ...

PUCH..

SSSSMMMFFF

QU'EST-CE QU'IL FOUT, TITEUF ?!! ON VA SE FAIRE MASSACRER !!
J'VAIS VOIR.
WOULOU WOULOU
PIUW !

DAMNED ! IL EST PASSÉ À L'ENNEMI !!

TCHEU LA HONTE

PAPA EST AU CHÔMAGE DEPUIS LUNDI PASSÉ...

Z.

PAPA
BEN MOI, MON PÈRE IL A TROUVÉ DU BOULOT.

IL EST TECHNICIEN DE SURFACE!
AH OUAIS ?
C'EST QUOI ?

C'EST UN PEU COMME ARCHITEC', J'CROIS... MAIS SUR UNE GRANDE SURFACE...
PFRT !! TU PARLES !

"TECHNICIEN DE SURFACE", C'EST BALAYEUR !!
C'EST PÔ VRAI !

PIS AU MOINS, MON PÈRE IL TRAVAILLE !!... C'EST PÔ COMME D'AUTRES !!!
C'EST PÔ VRAI !! MON PÈRE IL A DU BOULOT !!

IL A ÉTÉ... ENGAGÉ... COMME... EUH... COMME PILOTE D'AVION... ...
D'ABORD !
WAAAAH LA CONNERIE !!

C'EST PÔ DES CONNERIES !!! MÊME QUE, AUJOURD'HUI, IL ALLAIT À NEW YORK ET...
TITEUF !

J'AI TROUVÉ UN PETIT JOB TEMPORAIRE POUR DEUX SEMAINES....
C'EST DÉJÀ ÇA...
VOIRIE
POUT
VROP

JE T'EMMÈNERAI FAIRE UN TOUR.... BON, J'Y VAIS, J'AI ENCORE TOUT LE BOULEVARD À DÉCROTTER...
À CE SOIR !
POT
VROUP

WAF ! L'AVION POUR NEW YORK A ÉTÉ DÉTOURNÉ !
OUAFOUAF !

NAN ! J'OUVRIRAI PÔ ! JE VOUS DÉTESTE !! ET QUAND J'SERAI GRAND, JE FUMERAI DE LA DROGUE !!!!!
VOILÀ !

AFTER-SHAVE

PRFF

RRIP

RRIP

FLSH
FSHL

SMOUTCH

SMMMOUTTCHH

C'EST PÔ JUSTE ! QUAND C'EST MOI, ON REMAR QUE JAMAIS RIEN !!!

LE GROS ENFLÉ

LA DERNIÈRE GOUTTE EST TOUJOURS POUR LE PANTALON.

L'EXCURSION EN CAR

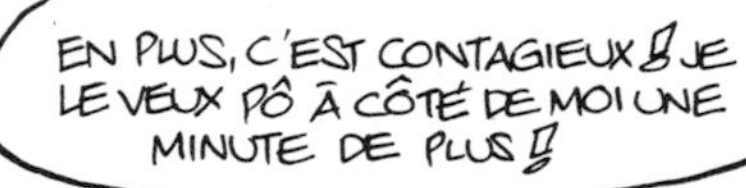

Cui-Cui
Class
DIS PÉPÉ...
QUOI ?

QUAND C'EST QUE J'AURAI UNE PETITE SOEUR ?
HEU...

AH ? EH BIEN TU VOIS... HEUUU...
HÉ ! HÉ !
HA HAAA
OUI...

IL FAUT QUE TA MAMAN REÇOIVE LA GRAINE...
TU VOIS ?
OUI.

ET POUR ÇA, IL FAUT QUE LE PETIT OISEAU LA LUI APPORTE...
LE PETIT OISEAU !?

COMMENT ?! QUEL PETIT OISEAU ?... JE CROYAIS QUE C'ÉTAIT PAPA ?!
AH... C'EST-À-DIRE QUE C'EST LE PETIT OISEAU DE PAPA
VOILÀ...
HEM.
HÉ HÉ

ET ALORS... QU'EST-CE QU'IL ATTEND, L'OISEAU ?
BEN... IL SE REPOSE... IL RESTE AU CHAUD...
HEUM
XPO

IL RESTE DANS SON NID ?
VOILÀ, C'EST ÇA.

DIS DONC, TON OISEAU, IL VA CONTINUER LONGTEMPS À COUVER SES OEUFS ?!

TERREUR SUR LA VILLE

LE RIVAL
AHAA... IL NE RESTE QUE LA PLUS BELLE !
HI HI ! NOOON !

OUPS ! RATÉ... ELLE EST AGILE !
HI ! HI !

NON MAIS IL SE GÈNE PÔ, LUI ! S'IL VEUT QU'ON SORTE Y'A QU'À DIRE !!

QU'EST-CE QU'ELLE LUI TROUVE À CE VIEUX GAGA DÉBILE ?!
T'AS QU'À FAIRE COMME LUI.

TU CROIS ?
HÉ HÉ POUM - TOUCHÉE
HI HI
BEN OUAIS ÇA PLAIT AUX FILLES.

ALLEZ HOP ! TOUT LE MONDE DEBOUT ! ON RECOMMENCE UNE PARTIE...

HÉ ! HÉ ! ATTENTION NADIA !!
KLIK

HÉ ! HÉ !
BUNT

WAOOU
TITEUF ! SUR LE BANC !
HÉ ? BEN... ?

IL CHERCHE À M'ÉLOIGNER, C'EST SÛR.

LE SOUPER CHEZ MADAME BLONDIN

LE TRUC GÉNIAL

LA COLO 3

C'MON DA
ALORS... TU L'AS INVITÉE ?
PÔ ENCORE ...

NCE DANC
ÇA VA MARCHER... J'AI PRIS ÇA POUR TOI.
C'EST QUOI ?

DU PARFUM. LES FILLES ADORENT ÇA.
PCHT

TU L'AS PRIS OÙ, TON PARFUM... ? IL PUE LES CHIOTTES !
BEN... AUX CHIOTTES ...

K'N'ROLL
BON... TU Y VAS ?
J'OSE PÔ..

J'VAIS LUI DEMANDER.
ARRÊTE, JÉRÔME ! T'ES CON !

JE VOUS LAISSE ...
KOF
HEU
HEM.. C'EST QUE...
'L EST CON, LUI
JE..

J'Y SUIS !
J'Y SUIS !
J'Y SUIS !

'FAUT QUE JE TROUVE UN TRUC À LUI DIRE...
HEU
DU TANSES BLIEN.
C'EST NUL. C'EST NUL !

GRMBL.. QU'EST-CE QU'ILS DISENT DANS LES FILMS ?
"VOUS VENEZ SOUVENT ICI ?" ... BÔF.
"T'ES BIEN ROULÉE" NON.
"VOULEZ-VOUS M'ÉPOUSER ?" NON.
"T'AS UN CUL D'ENFER" NON
"TU SENS LA ROSE" BOH ...
UN TRUC QUI MET À L'AISE...

T'INQUIÈTE PÔ... JE PRENDS MES PRÉCAUTIONS.

BEN... ALORS ?
POUËT

LA COLO 4
POSTE 5 : AU PIED DU VIEUX CHÊNE, VOUS TROUVEREZ L'ÉPÉE EXCALIBUR...
PFFT
OOUAAAAiiiS

EH BIEN TITEUF... QU'EST-CE QUI NE VA PAS ?
IL VOULAIT ÊTRE DANS LE GROUPE B
C'EST VRAI ?

PARCE QU'IL EST AMOUREUX DE CAROLINE !
HOLA HOLA
FAIS GAFFE À TA GUEULE !
J'AI TROUVÉ L'ÉPÉE

MAINTENANT, ON PEUT RENTRER VICTORIEUX... EN AVANT !

'TOUTES FAÇONS, ELLE EST TROP VIEILLE POUR TOI... ELLE A BIENTÔT 11 ANS...
ÇA VEUT RIEN DIRE !

IL PARAIT MÊME QU'ELLE A DÉJÀ PERDU SON PUCELAGE.
C'EST DES CONNERIES !!

ARR
ON Y EST !! GOÛTER POUR TOUS !
QU'EST-CE QUE ÇA PEUT LUI FAIRE QU'ELLE AIT PERDU SON PELAGE ?
YOUPiiiiiii

ARRIVÉE
B
C
BEN NOUS, ON A TROUVÉ TOUS LES POSTES...

- CHOMP -
VOUS AVEZ PÔ RETROUVÉ TON PUCELAGE, DES FOIS... ?

QU'EST-CE QUE T'AS ENCORE DIT ?
MAIS RIEN !

LA COLO 5
NOUS ALLONS FAIRE DES BOUGIES ARTISANALES.
OUAAAAIIS

VOUS PRENEZ UN POT DE YAOURT VIDE SUR LA TABLE...
GÉNIAL ! JE VAIS L'OFFRIR À MES PARENTS !
MOI, ILS EN ONT DÉJÀ SEPT.

... VOUS PASSEZ LA PETITE FICELLE PAR LE TROU, AU FOND DU GOBELET...
COMME ÇA ?
COMME ÇA ?
WAOON
COMME ÇA ?
PAR OÙ ?
ATTENDS JE TE LE FAIS.

GRÉGOIRE VA VERSER DE LA CIRE DANS VOS POTS.
CHAUD DEVANT !
GÉNIAAAAL

HÉ ! UNE MOUCHE !
CASSE-TOI !

QU'ELLE EST CON !
FAIS GAFFE, C'EST ...
BZZZ
BZZ

...CHAUD.

MA BOUGIE !
AÏE !

BUÊÊK ! C'EST PLEIN DE
DEUXIÈME COUCHE !

HÉÉÉ... C'EST TRÈS JOLI, TITEUF... QU'EST CE QUE C'EST... ?
UNE BOUGIE AUX FOURMIS.

LA COUSINE BETTY

LA MÉGAHONTE

OUTLAW
LE DERNIER MARIE-CLAIRE, S'IL VOUS PLAÎT

MARIE-CLAIRE? IL DOIT EN RESTER DERRIÈRE...
CARAMBAR

VOILÀ, MON GARÇON...
M. MERCI

TITEUF! ON PASSE À TABLE

POLICE PERQUISITION
QU'EST-CE QUE TU AS? TU NE MANGES RIEN?

WANTED
TITEUF
VOLEUR DE CARAMBAR
MORT OU VIF

TU CROIS QUE JE NE TE VOIS PAS? PETIT VOLEUR!!

J'M'EN FOUS!! PLUS TARD, J'SERAI AL CAPONE D'ABORD!!!

TOUT FOUT L'CAMP
BONNE NUIT TITEUF... IL FAUT DORMIR MAINTENANT.
J'VEUX PÔ !!

AH.. IL FAUT ÊTRE BIEN SAGE, AUTREMENT, C'EST LE LOUP QUI VA VENIR.
LE LOUP ?!!

QUEL LOUP ?!
OÙ ÇA !!? J'VEUX LE VOIR !
Y'A UN LOUP ?

ÉCOUTE TITEUF... LE LOUP, IL EST TRÈS MÉCHANT ! S'IL VIENT, C'EST POUR TE MANGER, ALORS...
ÇA M'ÉTONNERAIT ! J'AI MON PISTOLET-LASER.... I' M'FAIT PÔ PEUR MÉMÉ..

IL A DES GRANDES DENTS, DES GROS YEUX, DES GRIFFES ÉNORMES, DES POILS PARTOUT, DES...
GIGA !

MONTREZ-LE-MOI !
J'VEUX VOIR LE LOUP !
BON.

ÉCOUTE, TITEUF ! LES LOUPS, ÇA N'EXISTE PLUS !! MAIS SI TU NE VEUX PAS DORMIR, JE VAIS CHERCHER TA MAÎTRESSE ET ELLE TE FAIT RÉVISER TOUTES TES MATHS !!
COMPRIS ?

BEN... C'EST PÔ MARRANT L'ÉVOLUTION.

LE VÉLO DU COUSIN THIERRY

Z.

QUAND J'SERAI GRAND ET QUE J'AURAI BIEN ÉCONOMISÉ COMME PÉPÉ, MOI AUSSI J'IRAI FAIRE LE COSMONAUTE À L'HÔPITAL.

TONTON CAMÉSCOPE

LA MALÉDICTION DES SANDALES À DOIGTS DE PIEDS APPARENTS
MAIS... MAIS ELLES ÉTAIENT PÔ SALES, MES BASKETS !?
TITEUF...

IL FAIT CHAUD... TU SERAS BIEN MIEUX DANS CES SANDALES ...
LA HONTE !!

...JE RASAI LES MURS DÉFIGURÉ DES PIEDS...
DISQUES

JE PASSAI LE PLUS DISCRÈTEMENT POSSIBLE DEVANT LA PORTE DE NADIA...
17

...PLUS QUE QUELQUES MÈTRES ET C'ÉTAIT LE PRÉAU...
GROSSE RIGOLADE
TITEUF
le porteur de sandales à doigts de pieds apparents

...Y'AVAIT P'US QUE DIEU POUR ME TIRER DE LÀ !!
UN PETIT MIRACLE... S'IL VOUS PLAÎT...
ÉCOLE
GLP

J'M'EN FOUS D'ABORD DE CE QUE VOUS ALLEZ DIRE
HÉ! REGARDE JEAN-CLAUDE !
WAF
HA HA
HI HI

IL REVIENT DU DENTISTE !! OUAF !!
WAH HA
OUAF LA GUEULE
PÔVF' TFYPES !

ÇA DOIT ÊTRE UN RIGOLO, DIEU, POUR FAIRE DES MIRACLES PAREILS...

LA SCIENCE

HÉ! ARRÊTE! C'EST DÉGUEULASSE DE FAIRE ÇA!

QUI C'EST QUI T'A DIT ÇA?
PERSONNE,... TOUT LE MONDE SAIT ÇA. ...
C'EST DÉGUEU DE CRACHER DANS UN RUISSEAU!

TOUT LE MONDE LE SAIT SAUF TOI! JE PARIE QUE TU SAIS MÊME PAS COMMENT ON FAIT LES NUAGES!
SI JE L'SAIS! C'EST DE L'ÉVAPEUR!

OUAIS BEN QUAND LE SOLEIL Y FAIT ÉVAPORER L'EAU, TA BAVE, ELLE S'ÉVAPORE AVEC... ET ELLE MONTE DANS LE NUAGE!

ET APRES, QUAND IL PLEUT, IL TE PLEUT TA BAVE DESSUS!
ÊÊÊÊ

HUGO! NAN! ARRÊTE TOUT DE SUITE!

C'EST SALE! TU DOIS PÔ FAIRE ÇA! SINON TU VAS TOUT T'ÉVAPORER!
LÂCHE-MOI OU JE TE COLLE UNE BAFFE..

ALORS C'EST SUR, TITEUF... TU NE VEUX PAS VENIR AVEC MOI?
POUR ME FAIRE PISSER DESSUS PAR HUGO... JAMAIS!
Z.

LES PRÉSIDENTIELLES

LA DÉCO

VAS-Y !!
IL EST FOUTU !
-HAHA JE VAIS TE NUCLÉARISER
-NON J'AI MON BOUCLIER PROTONIQUE
BRASH
FZZIU FZZIU
MEGAKILL DESTRUCTOR

FAIS GAFFE, T'AS FAIT UNE TACHE !
AÏE ! LA TAPISSERIE TOUTE NEUVE !

AÏE.. AÏE ! C'EST DE PLUS EN PLUS PIRE !!
'FAUT PRENDRE DU PRODUIT... ÇA PART TOUT SEUL.
FROTT
FROTT

NITROGLYCÉRINE.. JAVEL... PFFF T'Y CONNAIS QUELQUE CHOSE ..TOI ?
"ARACHIDE"... ÇA DOIT ARRACHER LES TACHES, ÇA.

ÇA SE VOIT ENCORE PLUS !
MEEERDE

J'AI UNE IDÉE ! Y'A QU'À COLLER UNE FLEUR DESSUS ! ON Y VERRA RIEN..
GÉNIAL !!

HEU... ASSEZ GROSSE, LA FLEUR... PARCE QUE LA TACHE GRANDIT, J'CROIS...

ALORS ?
C'EST PAS MAL, MAIS...

MAIS ?
BEN... CETTE FLEUR AU MILIEU DU MUR, ÇA SE REMARQUE VACHEMENT

TITEEEEEUF
J'T'AVAIS DIT... FALLAIT FAIRE TOUT L'APPART' IL Y AURAIT RIEN VU.
ZEP+VALOTT

LE BON PLAN
ÇA FAIT TROIS FOIS QUE JE L'APPELLE !
MM.
LA PLANÈTE

TITeu...?

TITEUF?

CHÉRI ! TITEUF N'EST PAS RENTRÉ ! IL EST PLUS DE SEPT HEURES ! CE N'EST PAS NORMAL !!
BAH... IL A SUREMENT ENCORE ÉTÉ PUNI.... OU BIEN IL....
DRIIINN
TÉLÉPHONE.
MIX + REMIX

OUI... ALLO ?

ON TIENT VOTRE FILS... 'PRÉVENEZ PAS LA POLICE OU ON LE DÉCOUPE EN MORCEAUX... ON VOUS RAPPELLERA CLIC

CHÉRIII

J'AI TOUT ARRANGÉ... TU RENTRES CHEZ TOI DANS UNE VINGTAINE DE MINUTES, ET TU VERRAS, ILS T'ENGUEULERONT MÊME PÔ POUR TON ZÉRO EN MATHS.
T'ES SUR ?

tchô!
tchô! en kiosque tous les mois, à lire dans toutes les cours de récré...

PRRRMM
RMM
VROO